LEO et POPI

et la petite fille

HELEN OXENBURY

BAYARD ÉDITIONS

Léo va souvent au parc avec maman,
pour jouer dans le bac à sable.

Aujourd'hui,

Léo trouve

un très joli seau.

Léo fait un château avec le seau.

Mais une petite fille veut prendre

le joli seau de Léo.

Elle dit que c'est son seau !

La petite fille ne veut pas
prêter son seau à Léo.
Léo ne lui prêtera pas son Popi !

Mais Léo a très envie de jouer
avec le joli seau.
Popi en a envie aussi.

Puisque Léo prête son Popi,
la petite fille veut bien
prêter son seau.

Demain, Léo reviendra

jouer au bac à sable avec Popi.

Et la petite fille reviendra aussi,

avec son joli seau.